THOMAS HENSELER / SUSANNE BUDDENBERG

Grenzfall

avant-verlag

Der Comic *Grenzfall* beruht auf wahren Begebenheiten.
Aus dramaturgischen Gründen wurden Abläufe
und Personengruppen zusammengefasst.

Gefördert mit Mitteln der Bundesstiftung zur Aufarbeitung der SED-Diktatur

Text und Zeichnungen: Thomas Henseler
Text und Kolorierung: Susanne Buddenberg
Zoom und Tinte Buddenberg und Henseler GbR

Redaktionelle Beratung: Markus Pieper
Historische Beratung: Dr. Christian Halbrock
Satz: Susanne Bungter

Herausgeber: Johann Ulrich
avant-verlag / Weichselplatz 3-4 / 12045 Berlin
info@avant-verlag.de

ISBN 978-3-939080-48-0
2. Auflage

DDR 1982: BERLIN-FRIEDRICHSHAGEN
PETER GRIMM

Was ist mit deinem Aufnäher passiert?
Die Bullen haben mich deswegen aufs Revier gebracht.

Ich habe mich geweigert, ihn selber vor ihren Augen abzutrennen.

Nach fünf Stunden habe ich die Jacke dann ohne Aufnäher zurückbekommen.
Werde ich noch mal mit sowas erwischt, muss ich mit härteren Konsequenzen rechnen.

Im Sommer haben wir ja auch Schieß-übungen in Wehrkunde.

Daran werd' ich wohl nicht teilnehmen.

Dann wird es in der Schule aber 'ne ganze Nummer härter für dich werden.

Studieren kannst du dann auch so gut wie vergessen!

Wenn man sich aber drei Jahre bei der Armee verpflichtet, dann hat man später Chancen auf 'nen ganz guten Studienplatz.

Die Chancen, dass sie es dann geschafft haben, aus dir eine „sozialistische Persönlichkeit“ zu machen, stehen dann ganz gut, ja!

Journalismus würd' mich ja schon interessieren.

*Staatssicherheit

Hier wohnte der Staatsfeind Nummer 1:
Robert Havemann.
Ob wir wirklich da hinfahren sollen? Ich weiß nicht, ob das so 'ne gute Idee ist ...
Du meinst wegen der ganzen Polizeikontrollen?
Hm. Wahrscheinlich werden sie uns nicht mal in seine Nähe lassen.
Na ja, vielleicht haste ja recht.
Grünheide

PETER GRIMM HEUTE
Eine zweite Chance bekamen wir nicht mehr.

Heute wird dieser Havemann beerdigt und da lassen sie keine Busse dahin fahren. Und ich kann sehen, wo ich bleib'!

Sechs Kilometer! ICH wollte ja mit dem Fahrrad kommen ...

Die Stasi kontrollierte sämtliche Waldwege und Zufahrtsstraßen.

Es war nicht möglich, unbemerkt und abseits der Straße zum Friedhof zu gelangen.

Seit Barbara im Friedens-kreis ist, sieht man dich ja ziemlich oft ...
Na ja, wie heißt es so schön: "Make Love, not War!"

Schau mal da vorne ...

... Polizeikontrolle!

Wo kommen Sie her?
Aus Friedrichshagen.

Wo wollen Sie hin?
Wir wollen ins Evangelische Rüstzeitheim. Zur kirchlichen Jugendfreizeit.

Hier warten!

Die Ausweise mal per Funk überprüfen.

Personenüberprüfung: Grimm, Peter ... Personenkennzahl: 240365...

Meinst du, die halten uns hier fest?

Glaub' ich nicht. Die wollen nur wissen, wer alles an der Beerdigung teilnimmt.
Na toll! Dann sind wir jetzt erfasst! Das gibt bestimmt Stress zu Hause!

Weitergehen!

Selbst der tote Havemann war noch gefährlich für den Staat.

Kurze Zeit
später kamen
wir auf
den Friedhof.

Wir trauten unseren
Augen kaum ...

1961
Hunderte von Leuten waren zur Beerdigung gekommen.
Dies war keine normale Trauerfeier, dies war eine
politische Demonstration Andersdenkender.

Aus der Ferne
hörten wir die
Rede Pfarrer
Meinels.
Wenn die
Fernstehenden
etwas herantreten
wollen ...

... wäre es in ihrem Interesse. Wir hatten
uns bemüht, mit einem Lautsprecher die
Worte auf diesen Vorplatz übertragen zu
können, doch dies wurde uns nicht gestattet.

*Staats- und Parteichef der DDR **Sozialistische Einheitspartei Deutschlands

Die Witwe KATJA HAVEMANN.

Klick

Klick

PFARRER EPPELMANN war ein Freund Havemanns. Gemeinsam hatten sie Anfang des Jahres den „Berliner Appell“ verfasst.
Darin forderten sie Abrüstung sowohl im Osten als auch im Westen. Das Papier stand im totalen Gegensatz zur Politik der DDR.

Der Atheist Havemann wurde nun von gleich zwei Pfarrern beerdigt.
Zufall, Absicht, Wille Gottes, dass Robert Havemann auch an ... einem Karfreitag starb?

Damals sind die Freunde Jesu nach dessen Tod ängstlich auseinandergelaufen ... Dann kam Ostern.

Und seine Freunde begriffen, die Sache Jesu kann weitergehen. Ist unser Ostern da? Haben wir begriffen, dass das, was Robert Havemann wollte, weiterleben kann?

Bei dieser Masse von Gleichgesinnten hatte man zum ersten Mal das Gefühl, nicht mehr alleine zu sein.

Der Weg zurück war nun gar kein Problem mehr.

Besser schlecht gefahren als gut gelaufen...

Ich hoffe nur, das alles gibt zu Hause keinen Stress...
Für Thomas gab es Stress zu Hause.

Eine Woche später war ich wieder unterwegs Richtung Grünheide.

Bert war gelernter Steinmetz und wollte Katja Havemann den Vorschlag machen, den Grabstein für ihren Mann zu gestalten.

Ich glaube, wir
haben uns verfranzt.
Kennst du die Adresse?
Nee, aber direkt
danach zu fragen, trau'
ich mich auch nicht.
Zu viel Stasi hier.

Mist! Das einzige, was ich hier
kenne, ist das Rüstzeitheim.

Das Rüstzeitheim? Das ist doch da,
wo Havemann wohnt!

HAVEMANN
4

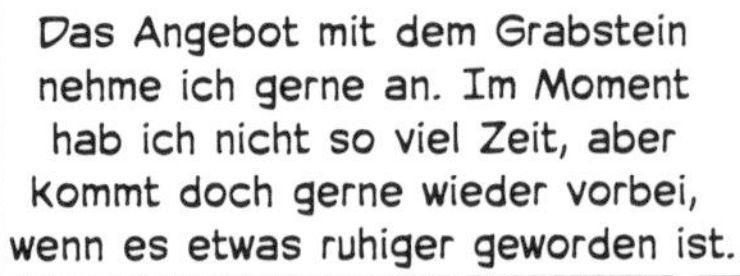
Das Angebot mit dem Grabstein nehme ich gerne an. Im Moment hab ich nicht so viel Zeit, aber kommt doch gerne wieder vorbei, wenn es etwas ruhiger geworden ist.

Für jeden von euch ein Exemplar von Roberts letztem Buch.
MORGEN
Die Industriegesellschaft am Scheideweg
Kritik und reale Utopie

GERD POPPE, Physiker, bekam Berufsverbot, weil er 1976 gegen die Ausbürgerung des Liedermachers Wolf Biermann* protestiert hatte.

Mit seiner Frau ULRIKE POPPE betrieb Gerd Poppe seit 1980 den ersten vom Staat unabhängigen Kinderladen.

*Erläuterung im Glossar

*Erläuterung im Glossar

Diese endlosen theoretischen Diskussionen zapfen die gesamte Energie ab und lähmen einen.

Wir müssen mehr praktische Aktionen machen und auch Leute mobilisieren, die bisher nichts mit uns zu tun hatten. Die Sprache muss so sein, dass sie auch der einfache Arbeiter versteht.

Wir beschlossen, in Verbindung zu bleiben.

Durch Ralf bekam ich auch Einladungen zu bestimmten Veranstaltungen.

Da gab es dann auch oft ungebetene Gäste.

Wir weisen Sie darauf hin, dass im Haus eine verbotene Veranstaltung stattfindet, die mit Ordnungsstrafen geahndet werden kann.

Da gehen wir natürlich nicht hin. Wir wollen hier nur Freunde besuchen.

In Privatwohnungen fanden oft Lesungen unangepasster oder verbotener Autoren statt.
Polizei Bureau
WEG MIT WAFFEN LEBEN LEBEN LASSEN
NICHTS IST SCHWERER NICHTS ERFORDERT MEHR CHARAKTER ALS SICH IM OFFENEN GEGENSATZ ZU SEINER ZEIT ZU BEFINDEN LAUT ZU SAGEN: NEIN! TUCHOLSKY
Heute lese ich aus meinem Buch „Mit dem Schlimmsten wurde schon gerechnet".
LUTZ RATHENOW

*Erweiterte Oberschule

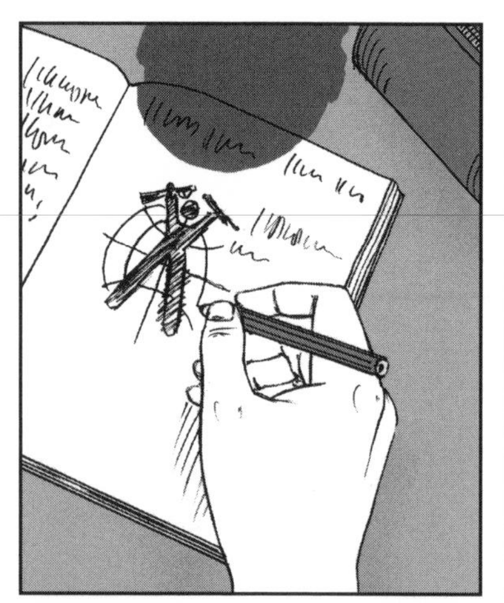

Der Friede
muß bewaffnet sein!

DIREKTOR
... Brief an die Eltern ...

ABENDS ZU HAUSE
Was sollte das denn jetzt wieder? Besonders clever ist deine offene Aufmüpfigkeit nicht!

Aber du selbst hast mir doch beigebracht, dass man die hohlen Phrasen des Systems hinterfragen soll!
Du musst aber erstmal einen Abschluss haben, bevor du die Klappe so aufreißen kannst. Bis dahin muss man das Theater erstmal mitmachen!

Rudolf, reg dich nicht so auf. Dein Herz ...

Ein paar Tage später schickte mich unsere Klassenlehrerin ins Rathaus von Köpenick, das nur einen Katzensprung von unserer Schule entfernt war.

Dort sollte ich beim Pförtner einen Herrn Wagner vom Jugendamt treffen. Es gab da in meinem Fall wohl Gesprächsbedarf.

Wagner? Vom Jugendamt? Den jibt et hier nich!

Der wurde mir aber von der Schule genannt! Können Sie nicht noch mal in Ihren Unterlagen nachschauen?

Nee, den jibt's hier im Hause nich. Wennse jetz nich jenauer wissen, worum et sich handelt, dann wees ick och nich, wo ick hier im Hause noch nachfragen soll.

Hallo Herr Grimm, früher als erwartet.

Mein Name ist Wagner. Lassen Sie uns in mein Büro gehen.

Der einzige Grund, der mir einfiel, warum Wagner hier nicht offiziel geführt wurde, war, ...

... weil er von der Staatssicherheit war.
Offensichtlich haben Sie ja einige Probleme an der Schule, und da dachte ich, es wäre gut, wenn wir uns mal unterhalten.

Zigarette?
CLUB
Nein danke.

Ich ließ den Stasi-Mann erst mal reden. Er machte einen auf verständnis-vollen Kumpel.

Er fragte mich ganz allgemeine Dinge, wie ich denn zur Friedens-bewegung und zu unserem Staat stehen würde.

Nach einer Stunde ließ er mich gehen.

Nächste Woche will er mich noch einmal treffen.

SPORTARTIKEL

Am Abend ging ich zu Ralf.

Ralf bereitete mich auf das nächste Treffen mit Wagner vor.

Er gab mir wertvolle Tipps, wie ich mich bei diesem Anwerbeversuch verhalten sollte.

Musste unbedingt lesen. Das reinste Lehrbuch.
Jürgen Fuchs
Vernehmungsprotokolle

EINE WOCHE SPÄTER
Hallo Herr Grimm! Wollen wir bei diesem schönen Wetter nicht zur Müggelseeperle fahren und dort was essen?
Wartburg

Ich muss aber um halb vier am Bahnhof Köpenick sein. Um vier hab ich eine Verabredung in Berlin.
Kein Problem! Da bring ich Sie hin.

MÜGGELSEEPERLE

Na, dann könnten wir doch was essen!

Nein danke, ich hab' keinen Hunger. Für mich nur eine Cola.
Gut, für mich dann auch nur einen Kaffee.

Ich wartete darauf, dass Wagner endlich die Katze aus dem Sack ließ.

Schauen Sie, Herr Grimm, wir wissen, was Sie momentan für Probleme in der Schule haben.
Aber es wäre doch wirklich schade, wenn Sie sich dadurch ihre Zukunft verbauen.

Man muss in den Friedens-kreisen, in denen Sie verkehren, auch schon mal genauer hinschauen, mit wem man es da zu tun hat.

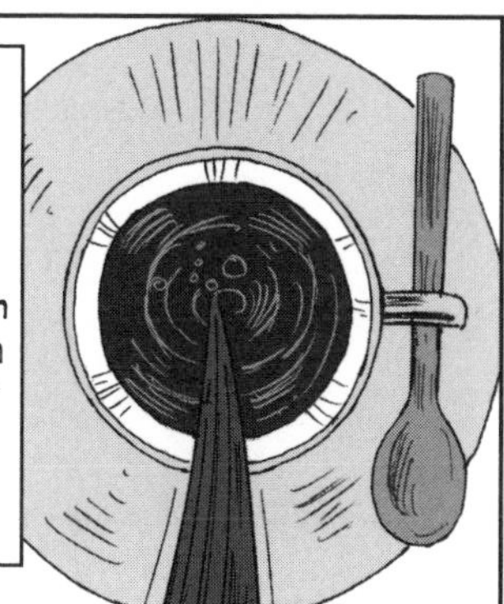
Einige wollen wirklich etwas verändern. Aber es gibt auch solche, die unter diesem Deckmäntelchen in Wahrheit ihr ganz eigenes Süppchen kochen.

Hier heißt es dann auch, die Spreu vom Weizen zu trennen. Gerade bei diesen Leuten wäre es wichtig, dass wir Informationen bekommen.

Und letztendlich helfen Sie den Leuten ja auch, nicht fälschlich verdächtigt zu werden.

Wenn Sie uns helfen, könnten wir auch Ihnen helfen. Da hat ja keiner was davon, wenn Sie von der Schule geworfen werden.

Sie machen dann erstmal Abitur und wir könnten Ihnen bei der Studienplatzwahl behilflich sein.

Ich werde meine Freunde nicht verraten.

Es geht doch hier nicht um Verrat!
Es geht darum, Leute davor zu schützen, dass sie nicht auf die schiefe Bahn geraten.

So Fälle wie bei Ihnen: Dass man durchaus schon das Richtige will, aber da teilweise nicht in das richtige Umfeld gerät.

Dass das dann schwere Konsequenzen hat, das möchte man doch vermeiden.

In seinen langen Monologen versuchte Wagner immer wieder, mich von der Harmlosigkeit eines Spitzeldienstes zu überzeugen.

Wir sehen ja auch, dass es bei uns viele Dinge gibt, die verbesserungswürdig sind.
Aber man muss an den richtigen Stellen verändern, Herr Grimm!

Glauben Sie mir: Mit uns können Sie was verändern!

Wenn wir noch rechtzeitig zum Bahnhof kommen wollen, müssen wir jetzt aufbrechen.
Sonst komme ich zu spät zu meiner Verabredung.
Oh ja, natürlich! Das mögen Frauen überhaupt nicht, wenn man sie warten lässt.

Ich treffe mich nicht mit meiner Freundin.
Ich treffe mich mit Ralf Hirsch, den kennen Sie ja sicher, in der Bibliothek der amerikanischen Botschaft. Und der macht sich Sorgen, wenn ich nach meinem Treffen mit Ihnen nicht pünktlich bei ihm bin.

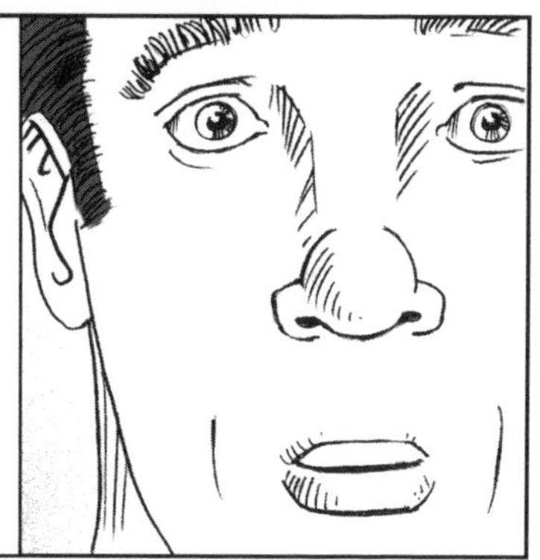

*Erläuterung im Glossar

*Freie Deutsche Jugend, staatliche Jugendorganisation

Der FDJ-Kreis-
vorsitzende
war auch da.

Wir wollen heute über den Ausschluss
von Peter Grimm aus der FDJ abstimmen.

Peter hat sich aktiv an Handlungen beteiligt ...

... die sich gegen ...

... das Verbands-
anliegen der
FDJ zur
Stärkung
der DDR
richten!
Er ist in feindlich-negativen Gruppen tätig,
die massiv die sozialistische Friedenspolitik
unseres Vaterlandes untergraben.

Aber im Gründungsstatut der FDJ steht doch, dass wir offen für alle Weltanschauungen sind ...?

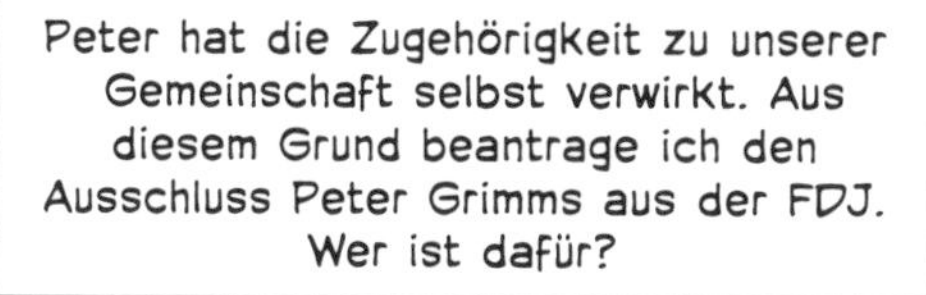
Peter hat die Zugehörigkeit zu unserer Gemeinschaft selbst verwirkt. Aus diesem Grund beantrage ich den Ausschluss Peter Grimms aus der FDJ. Wer ist dafür?

In der Klasse waren wir 27 Schüler. Für meinen FDJ-Ausschluss war eine Zweidrittelmehrheit erforderlich. Das Abi konnte ich dann vergessen.

... 15 ... dafür ...

Wer ist ... gegen den Ausschluss?

... 11 ... 12 ... dagegen.
Der Antrag wurde abgelehnt.

Ohne ein weiteres Wort stürmte der FDJ-Kreisleiter aus dem Klassenraum.

Diejenigen, die wenige Wochen vor dem Abi mutig für mich Partei ergriffen hatten, sind selber ein hohes Risiko eingegangen. Es war ein schönes Gefühl, couragierte Freunde zu haben!

Einige Zeit später wurde mein Vater zur Schule bestellt.
EOS
ALEXANDER v. HUMBOLDT-SCHULE

Da sie dieses Jahr schon zu viele Schüler von der Schule geworfen hatten, wollten sie, dass ich die Schule freiwillig verließ.

Das hätten sie wohl gerne, dass wir uns klammheimlich verdrücken.

Von wegen! Wir gehen da erhobenen Hauptes raus! Wenn, dann müssen sie dich schon in aller Öffentlichkeit rauswerfen!

*ausgeschlossen

Mein Vater als Direktor eines Sägewerks hat noch versucht, seinen Einfluss geltend zu machen und mir zu helfen.

Er bombardierte die Leute mit Eingaben, hat mit Parteileuten, mit staatlichen und kirchlichen Stellen gesprochen.

Aber selbst er konnte da nichts mehr machen.

Wenige Tage später ist er an einem Herzinfarkt gestorben.

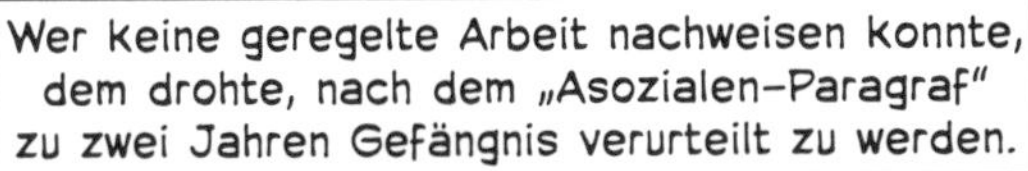
Wer keine geregelte Arbeit nachweisen konnte, dem drohte, nach dem „Asozialen-Paragraf" zu zwei Jahren Gefängnis verurteilt zu werden.

Über einen Freund bekam ich mit viel Glück eine Stelle im „TRO", im Transformatorenwerk Oberschöneweide. Hier wurden Isolatoren für Umspannwerke hergestellt.
TRO

Am Tag von Vaters Beerdigung unterschrieb ich den Arbeitsvertrag.

Ich sollte Material beschaffen, das es aber oftmals nicht gab. Meistens war man damit beschäftigt, die erfolglosen Bemühungen zu protokollieren.

Wenn meine Kolleginnen während der Arbeitszeit ihre Besorgungen machten, hielt ich die Stellung. Nach Feierabend gab es oft nichts mehr zu kaufen.
Ich stell mich für Südfrüchte an. Bis später!

Es gab wenig zu tun. So konnte ich die nächsten zwei Jahre hervorragend zum Selbststudium nutzen. Ich las viel zeit-historische Literatur aus dem Westen.
WOLFGANG LEONHARD
die Revolution entlässt ihre Kinder

Isaac Deutscher
STALIN
Eine politische Biographie

Nach Feierabend bin ich in die Innenstadt gefahren, um mich mit Leuten aus verschiedenen Friedenskreisen zu treffen.

Die Kirche war der einzige öffentliche Freiraum, wo man über Themen sprechen konnte, die sonst in der Öffentlichkeit absolut tabu waren.
WEHRDIENST
ZIVILDIENST
FRIEDENSKREIS DER BERLINER ERLÖSERGEMEINDE

FRIEDENSKREIS DER SAMARITERGEMEINDE BERLIN

3. Welt
ARBEITSKREIS FÜR CHRISTLICHES FRIEDENSZEUGNIS DER GETHSEMANEGEMEINDE

UMWELTSCHUT
FRIEDENS- UND UMWELTKREIS DER PFARR- UND GLAUBENSGEMEINDE

CHRISTINE MÜLLER baute den Umweltkreis mit auf.
Der Pfarrerssohn WOLFGANG RÜDDENKLAU verweigerte den bewaffneten Wehrdienst. Wegen „mangelnder Anpassungsfähigkeit" wurde er nach der Ausbildung nicht als Kinder- und Jugendarbeiter übernommen.

Während in der Glaubenskirche Augenzeugenberichte über Umweltverschmutzung in vielen Städten der DDR diskutiert wurden, reagierte man nebenan in der Stasi-Zentrale äußerst sensibel auf solche Informationen.

Hast du dir schon mal den „Silbersee" bei Bitterfeld angeschaut?
ZUGEMAUERTE EINGÄNGE UND SPIEGEL AN DEN FASSADEN NAHE DER STASI-ZENTRALE

Bitterfel
Berichte und Messwerte über Luftverschmutzung, Waldsterben und Gewässerverschmutzung in der DDR waren Staatsgeheimnisse.

Offiziell tat der Staat alles für die Gesundheit seiner Bürger.
Betreten verboten! Lebensgefahr!

Die Wahrheit sah anders aus ...

... und kam in den offiziellen Nachrichten nicht vor.

KLICK

Aber unabhängige Nachrichten gab es in der DDR nicht.

In Treptow gründete ich dann meinen eigenen Friedenskreis. Wir nannten uns „Wühlmaus", machten Kabarett und organisierten ernste Diskussions-runden.
SABINE BÖRNER
BENN ROOLF

„Der Mond ist aufgegangen, es ist schon eingegangen die ganze Vogelschar, der Wald steht kahl und schweigend ..."

„... und aus dem Schornstein steiget der gelbe Nebel wunderbar."

Grimm und Börner haben den Veranstaltungsort verlassen ...

AUS DEN BERICHTEN DES MINISTERIUMS FÜR STAATSSICHERHEIT

Kreisdienststelle Köpenick, 16.4.1985

Eröffnungsbericht zum OV[*] „Robert“:
Es wird vorgeschlagen, den Grimm, Peter
im OV „Robert“ gemäß §§ 218, 220 StGB[**] zu bearbeiten.

Zum Sachverhalt:
Aus einer Information der Bezirksverwaltung Berlin, Abt. XVIII, geht hervor, daß sich der Grimm mit der Literatur von Robert Havemann beschäftigt.
Im Zusammenhang mit Havemann wurde des weiteren inoffiziell bekannt, daß der Grimm an dessen Beerdigung teilgenommen haben soll. In diesem Zusammenhang soll er auch einer Gruppe angehören, die die Zielstellung verfolgt, das Werk von Havemann fortzuführen.

Durch die Kreisdienststelle Treptow wurde bekannt, daß der Grimm Mitglied der Theatergruppe der Treptower Friedensgruppe, die sich „Wühlmaus“ nennt, ist.
In dieser Gruppe ist der Grimm der politische Kopf.
Er tritt dort auch mit selbstgefertigten Texten, die einen herabwürdigenden Inhalt haben, auf. Mit diesen Texten trat er im Februar in der Bekenntniskirche öffentlich auf. In diesem Kreis, der sich regelmäßig in der Bekenntnisgemeinde trifft, wurde auch inoffiziell bekannt, daß der Grimm eine gute Kenntnis über die „Friedensszene“ in Berlin und darüber hinaus besitzt und aktive Kontakte zu anderen „Friedenskreisen“ in der Hauptstadt unterhält.

*Operativer Vorgang, Erläuterung im Glossar ** Erläuterung im Glossar

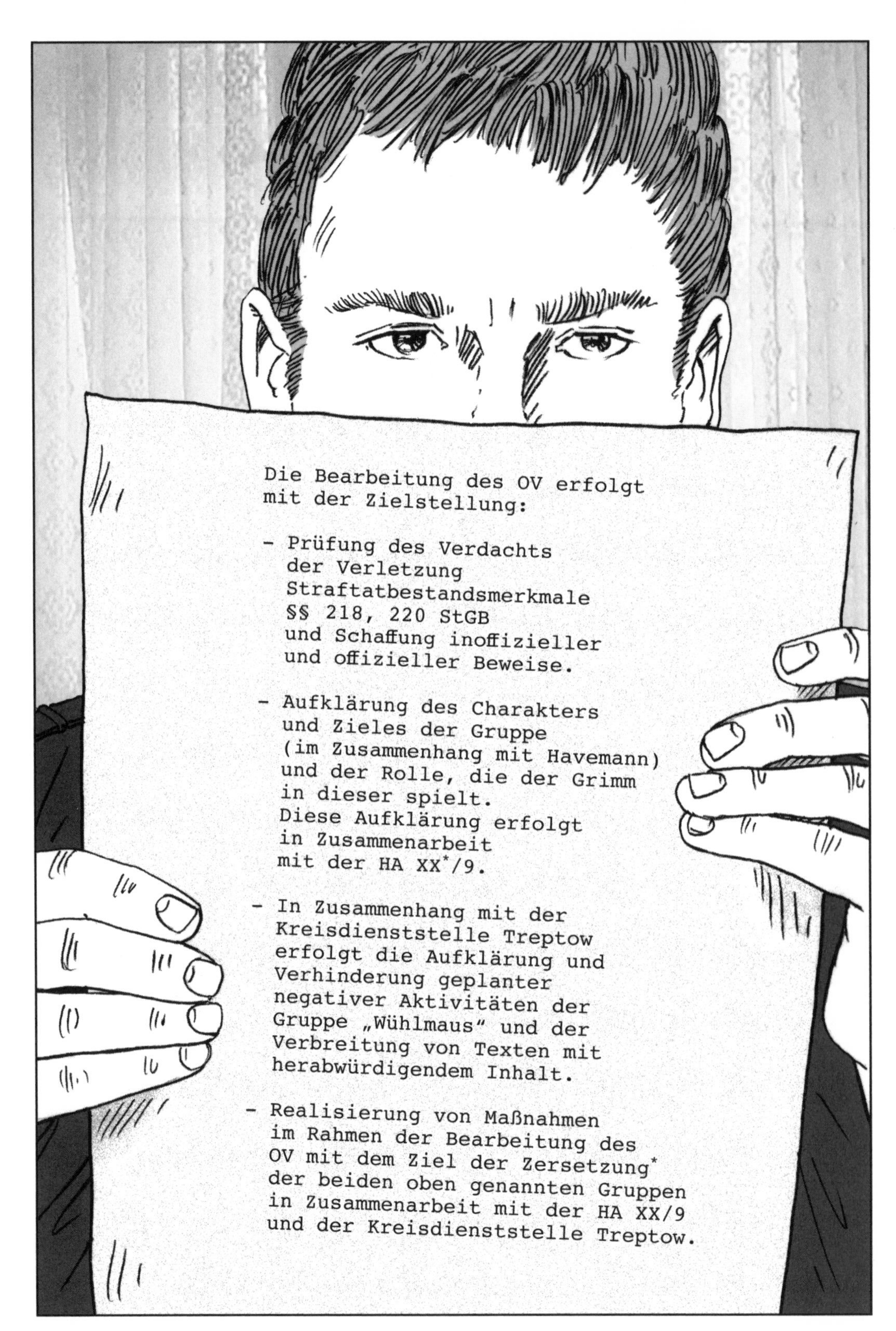

*Erläuterung im Glossar

Wie mit dem Umweltschutz, so war es auch mit den Menschenrechten in der DDR nicht zum besten bestellt.

Anhand der Menschenrechtssituation konnte man überprüfen, inwieweit man den Versprechen der DDR-Führung wirklich glauben konnte.

Mit Ralf schrieb ich verstärkt Eingaben und öffentliche Erklärungen, um auf die Situation der Menschenrechte in der DDR aufmerksam zu machen ...

-Recht auf freie
Meinungsäußerung
-Freier Zugang zu
Informationen
-Chancengleichheit
in der Bildung
-Versammlungsfreiheit
-Recht auf un-
eingeschränkte Reise-
freiheit
-Freie Wahl des
Wohnsitzes
... und um die Grundrechte einzufordern, die es bei uns nicht gab.

NEUES DEUTSCHLAND
Bauern ernteten Getreide von über 550000 Hektar
Im Osten gab es nur eine Meinung, die veröffentlicht wurde: die der Partei.

NOIR
FUCK SED
Durch die Nähe zum Westen und zu West-Berlin konnte man aber auch (heimlich) andere Meinungen hören und sehen.

DER SPIEGEL
Nachrichtenbüro
Ost-Berlin
Richter
Bartsch
Der Spiegel
Ralf hatte gute Kontakte zu Journalisten, die in der DDR akkreditiert waren.
Journalisten wurden an der Grenze kaum kontrolliert.
Sie können passieren.

Staatskritische Berichte aus dem Osten wurden nach West-Berlin geschmuggelt und dort über die Medien verbreitet.

„Hier ist das Erste Deutsche Fernsehen mit der Tagesschau."
DDR
Über West-Radio und -TV gelangten die Nachrichten dann wieder zurück nach Ost-Berlin und in die DDR.

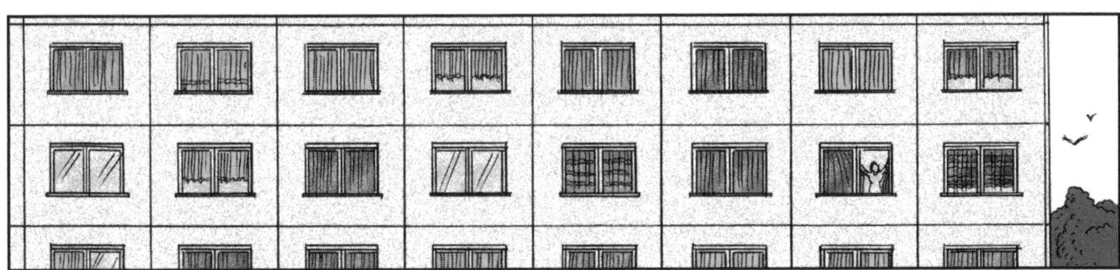

Wir brauchen für unsere öffentlichen Erklärungen symbolträchtige Termine.

Internationales Jahr der Jugend
DDR 35
An die Teilnehmer der XII Weltfestspiele der Jugend und Studenten in Moskau
1 M DDR
Bei solchen Veranstaltungen wollte sich die DDR im Licht der Öffentlichkeit immer von ihrer besten Seite zeigen.

INTERNATIONALES JAHR DER JUGEND
H
Für einen kurzen Moment schoben wir uns mit ins Rampenlicht.
Dadurch waren wir vor Übergriffen von staatlicher Seite erst mal geschützt.

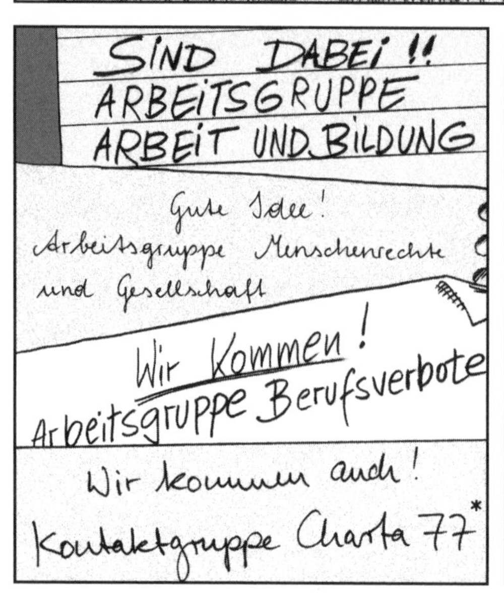

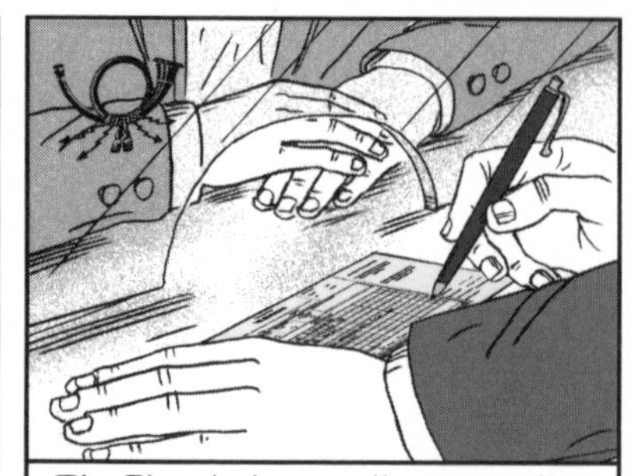

*Erläuterung im Glossar

Das hätten wir uns sparen können. Die Stasi überbrachte die Absage persönlich.
Wir haben Ihnen eine Mitteilung zu machen.

Überraschung!
Trotz Absage traf man sich am 25.11.1985 bei Templins zu einer „Geburtstags-feier".

Dies war die Geburtsstunde der „Initiative Frieden und Menschenrechte".
PETER RÖLLE
ANTJE UND MARTIN BÖTTGER
GERD POPPE
WERNER FISCHER
REGINA UND WOLFGANG TEMPLIN
PETER GRIMM
SABINE BÖRNER
BÄRBEL BOHLEY
IRENA KUKUTZ
RALF HIRSCH
MONIKA HAEGER
REINER DIETRICH
ULRIKE POPPE
REINHARD WEIßHUHN

PETER GRIMM HEUTE
Hier entstand die Idee, eine eigene Zeitung zu machen. Der staatlichen Jubel-Propaganda ...
... wollten wir unser eigenes Sprachrohr entgegenstellen.
Berliner Zeitung
Barack Obama

Die kleinen verstreuten Oppositionsgruppen überall im Lande sollten eine Anlaufstelle haben und miteinander vernetzt werden.

Mögliche Themen für die Zeitung gab es viele: Verhaftungen, Willkür der Behörden ...
... Berufsverbote, die politische Situation in Polen, Ungarn und der Tschechoslowakei.

Oder Veranstaltungstermine von unerwünschten Künstlern.
Berlin heute
TAGESTIPP
KINO IN BERLIN

Eigene Zeitungen drucken durften aber nur staatliche Betriebe.
Oder die Kirchen.
Politik

Das Problem war nun: Wie macht man eine Zeitung, wenn man ohne staatliche Genehmigung nicht drucken darf?

Wie kommt man an Farbe und Papier, wenn man dies offiziell nicht kaufen darf? Wie bringt man eine Zeitung unters Volk, wenn allein das Lesen dieser Zeitschrift schon Grund für eine Verhaftung ist?
Was wir wollten, war absolut illegal!

Die Idee für den Titel entstand bei einem geselligen Bierabend.

Grenzfall

PETER RÖLLE zeichnete die Karikaturen.

So, du bist jetzt frei!

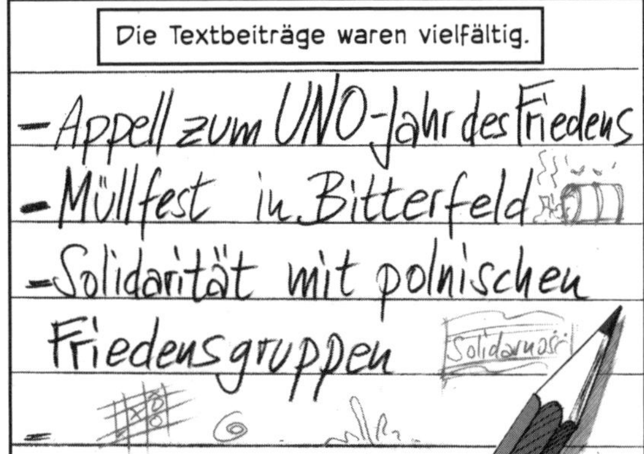
Die Textbeiträge waren vielfältig.
- Appell zum UNO-Jahr des Friedens
- Müllfest in Bitterfeld
- Solidarität mit polnischen Friedensgruppen

Kontaktadresse:
Peter Gri
Als Kontakt für andere Gruppen gaben wir unsere Adressen an.

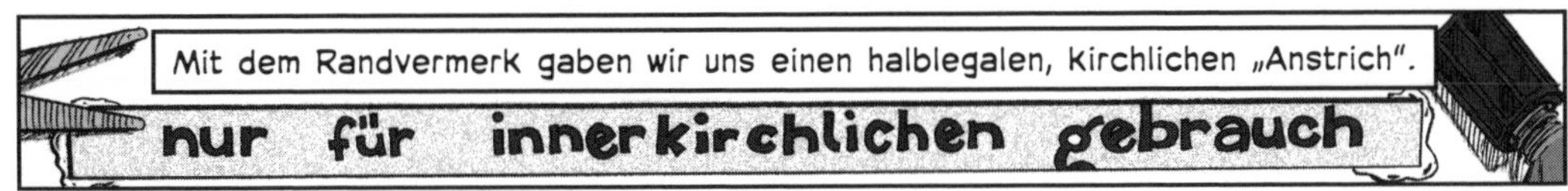
Mit dem Randvermerk gaben wir uns einen halblegalen, kirchlichen „Anstrich".
nur für innerkirchlichen gebrauch

Grenzfall
Grenzfall
Durch Abfotografieren der neun Originalseiten und Vervielfältigen auf A6-Fotopapier kam eine Auflage von 50 Exemplaren zustande.

29.6.1986 FRIEDENSWERKSTATT ERLÖSERKIRCHE
Die erste Ausgabe wollten wir auf der Friedenswerkstatt in der Berliner Erlöserkirche verteilen.
3. Welt
HOFFNUNG
ÖKOLOGIE
Hier war die einzige Möglichkeit für die verschiedenen Friedensgruppen, ihre Arbeit einer breiteren Öffentlichkeit zu präsentieren.

Stell dir vor es wäre Krieg – und keiner gewinnt!
Nur unter dem Dach der Kirche ließ der Staat es zu, dass die Unzufriedenen ein klein wenig Dampf ablassen konnten.
FRAUEN FÜR DEN FRIEDE
Spendet für die Familien von Wehrdienstverwei die in Haft sind

Lieber ein warmer Bruder als ein Kalter Krieger!

SAMARITER- GEMEINDE
WAHLFÄLSCHUNG
Qual der Wahl

Tschernobyl ist überall!
Das zerbrechliche Verhältnis zwischen Staat und Kirche durfte nur nicht gestört werden.

Nach der Reaktorkatastrophe in Tschernobyl im April des Jahres wurde weltweit über Alternativen zur Kernenergie nachgedacht. In der DDR dagegen sollte die Produktion gesteigert werden. Wir reagierten mit einer Unterschriftenaktion.
DRUCKWASSERREAKTOR
SIEDEWASSERREAKTOR
ARBEITSGRUPPE GRENZFALL
Tschernobyl überall!

Daraufhin verwies man auf eine Klärung des Sachverhaltes mit der Kirchenleitung.

Das an dieser Stelle hängende Material wurde vom Generalsuperintendenten Krusche eigenhändig entfernt

Initiative Frieden & Menschenrechte und Grenzfall

Nach diesem Vorfall wurde uns klar, dass wir nicht weiter von der Gnade der Kirchenoberen abhängig sein wollten. Das würde die Arbeit aber noch schwieriger machen.

Frieden – und Gerechtigkeit?

1.9.1986 KREISDIENSTSTELLE KÖPENICK, BERICHT DER STAATSSICHERHEIT:
Im Verlaufe der Bearbeitung des OV „Robert“ wurde deutlich, daß Grimm und Börner sich in ihrem gesamten Verhalten konspirieren. Das wurde u.a. in der Gründung der Gruppe „Grenzfall“ sowie in der Erarbeitung und Verbreitung gefertigter Materialien deutlich. Grimm und Börner haben vor, die Arbeit der Gruppe „Grenzfall“ fortzuführen. Das Erscheinen weiterer Ausgaben des gleichnamigen Informationsblattes ist geplant.

Wolfgang Rüddenklau hatte ein Problem.

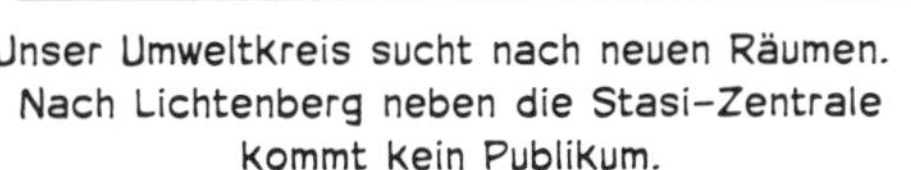
Unser Umweltkreis sucht nach neuen Räumen. Nach Lichtenberg neben die Stasi-Zentrale kommt kein Publikum.

GEMEINDEHAUS ZIONSKIRCHE, GRIEBENOWSTRASSE 16
Pfarrer Simon von der Zionskirchgemeinde in Berlin-Mitte stellte Räume zur Verfügung.

KELLERRÄUME ZIONSKIRCHGEMEINDE
Wolfgang und seine Freunde machten sich an die Arbeit.
CHRISTINE MÜLLER
CHRISTIAN HALBROCK
OLIVER KÄMPER

Innerkirchliche Information

umweltBlaetter

INFO-Blatt des Friedens- und Umweltkreises Zionskirchgemeinde

Umweltbibliothek Griebenowstraße 16 Berlin 1058

Da die Kirchen eine staatliche Druckgenehmigung besaßen, konnten hier auch in einer rechtlichen Grauzone die „Umweltblätter" mit Friedens-, Umwelt- und Menschenrechtsthemen gedruckt werden.

Herzstück aber war die „Umwelt-Bibliothek" (UB), die dem Treffpunkt den Namen gab.
SCHWERTER ZU PFLUGSCHAREN

Hier konnte man verbotene Bücher und Zeitschriften lesen ...
Aldous Huxley Schöne neue Welt
GEORGE ORWELL 1984
George Orwell Farm der Tiere
ALEXANDER SOLSCHENIZYN DER ARCHIPEL GULAG
Wilhelm Dietl Waffen für die Welt
Holger Strohm Friedlich in die Katastrophe
Stefan Aust Der Baader Meinhof Komplex
Stefan Bollinger Bernhard Mateck Denken zwischen Utopie und Realität
Henry David Thoreau Walden
ERNEST CALLENBACH EIN WEG NACH ÖKOTOPIA
B. Traven Das Totenschiff
Victor Klemperer LTI
Peter Wensierski Von oben nach unten wächst gar nichts Umweltzerstörung und Protest in der DDR
M. Dörfler E. Dörfler ZURÜCK ZUR NATUR?
R. Bahro DIE ALTERNATIVE
LUTZ RATHENOW/HARALD HAUSWALD OSTBERLIN

... und sogar ausleihen.
Umwelt-Bibliothek Berlin
Leihkarte
Name
Vorname
DIE UMWELT-BIBLIOTHEK ZION
Griebenowstraße 16 der Zionsgemeinde Berlin-Mitte DDR 1040 Tim Keller

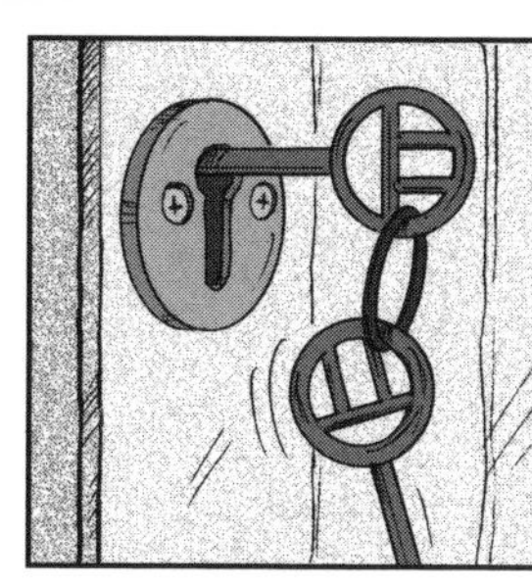
Zum „Giftschrank", in dem hochbrisante Literatur lagerte, hatten aber nur Pfarrer Simon und wenige andere einen Schlüssel.

GERD BASTIAN
PETRA KELLY
Bundestagsabgeordnete der GRÜNEN schmuggelten Bücher für die UB über die Grenze in die DDR, da sie nicht kontrolliert werden durften.

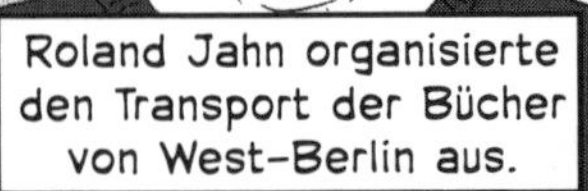

Nachdem Fotoabzüge
zu kostspielig und
der heimliche Druck
in der Umwelt-Bibliothek
bei Wolfgang Rüddenklau
zu gefährlich geworden
war, bedeutete dies
einen weiteren Schritt
in Richtung
Unabhängigkeit.

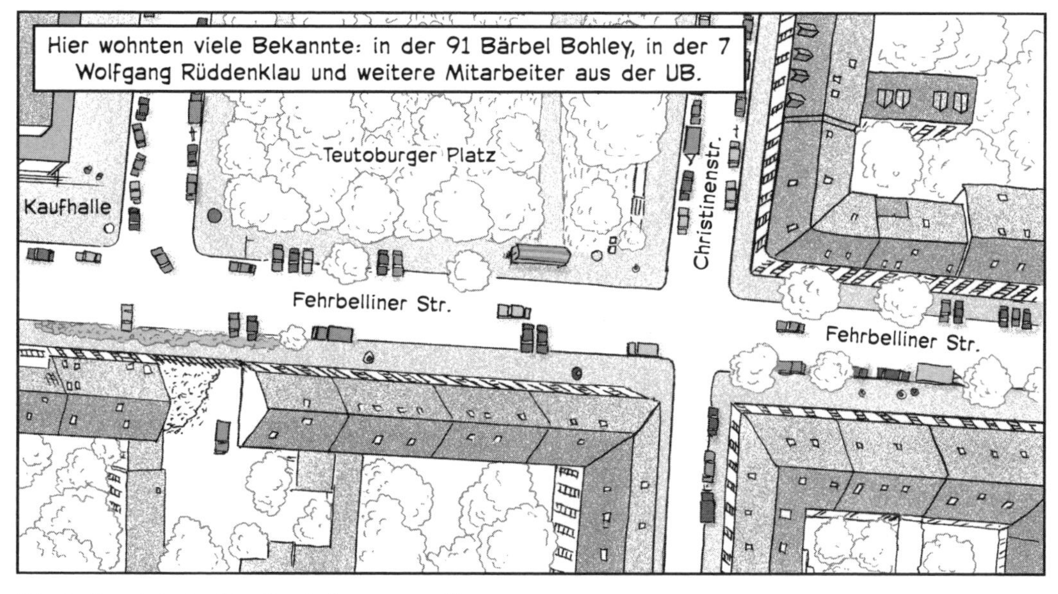

*Kreisdienststelle (Berlin-)Köpenick **Erläuterung im Glossar

Über wichtige Dinge sprach man nicht in den eigenen vier Wänden.

Kurier bringt nächste Woche neue Lieferung

STASI-BERICHT:
...eine sehr starke Konspirierung, die bisher weder durch inoffizielle Verbindungen der verschiedenen Diensteinheiten noch durch operativ-technische Maßnahmen vollständig überwunden werden konnte.

Die Druckmaschine war häufig kaputt, Ersatzteile waren schwer zu bekommen. Wir brauchten einen Techniker, dem wir vertrauen konnten.

STASI-BERICHT:
In einem Vier-Augen-Gespräch erfuhr eine inoffizielle Quelle von Peter Grimm, dass seit einiger Zeit das MfS* in verstärkter Form das Abzugsgerät sucht, auf dem der „Grenzfall" hergestellt wird.

Grimm äußerte sich der Quelle gegenüber mehrmals, daß das MfS „niemals" das Abzugsgerät auffinden würde, da der „Grenzfall" ständig an einem anderen Ort abgezogen wird.

Unmittelbar nach dem Vervielfältigen erfolgt der Transport des Gerätes an einen anderen Ort. Die Problematik besteht nach Grimm seiner Meinung nach im Transport, den angeblich zu viele Augen mitbekommen. Die Quelle fragte Grimm nicht nach dem Ort und der Art des Transportes.

*Ministerium für Staatssicherheit

Es ergeben sich Ansatzpunkte dafür, daß Peter und Sabine Grimm beginnen, den IMB* „Andy“ als brauchbaren Partner im Sinne ihrer Untergrundtätigkeit zu akzeptieren, was vor allem aus der Lebenshaltung des IMB resultiert. Diese Lebenshaltung wird im wesentlichen durch eine relative Unabhängigkeit von staatlichen Einflüssen, einer legeren und unbeschwerten Lebensauffassung charakterisiert.

Beim Olof-Palme-Friedensmarsch im September 1987 sah man nun auf einmal öffentlich Parolen, für die man ein paar Monate früher verhaftet worden wäre.

*Erläuterung im Glossar

STASI-BERICHT:
...dringend ersucht haben, die Maschine an einen anderen Ort zu verlagern. Sie könnte keine Besuche empfangen, solange die Maschine und das Material sich in ihrer Wohnung befinden. Die bis zum „Grenzfall" Nr. 9 benutzte „Geha 74" Abzugsmaschine ist defekt. Zur Zeit wird der „Grenzfall" Nr.10 mit einer alten elektrischen „Progress"-Maschine hergestellt. Diese Information ist aus konspirativen Gründen nicht auswertbar.

*Erläuterung im Glossar

*Ermittlungsverfahren **Zuführung: vorläufige Festnahme

PETER + SABI
GRIMM + Ma

DRiiNG
DER SPIEGE
Gorbats
in der

Ich muss dich noch mal sprechen wegen heute Abend.

Ich habe da so ein komisches Gefühl.

Ihr solltet heute Abend überall sein, nur nicht da, wo der „Grenzfall" gedruckt wird.

Setzt euch irgendwo in eine Kneipe auf den Präsentierteller. Wir machen das schon für euch.

Peter Rölle und Ralf Hirsch übermittelte ich die Nachricht per Telefon.
Ralf, lass uns doch heute Abend um 19 Uhr in der Kneipe auf ein Bier treffen.
So wussten auch eventuelle Mithörer, wo wir am Abend zu finden wären.

Reiner Dietrich hatte kein Telefon.

Heute Abend Bier trinken um 19 Uhr in der Kneipe hier um die Ecke.
Peter

GASTSTÄTTE
VEB Berliner Brauereien
H. war hier

Es war Wolfgangs Idee, dass wir uns hier und nicht in der UB treffen.
Liqueur
VEB

Meint ihr nicht, wir sollten noch mal in der UB vorbeischauen? Ich weiß nicht, ob die mit der alten Druckmaschine klarkommen.

Nein, das haben wir jetzt so abgesprochen und dabei bleibt es.

Dabei blieb es. In der Kneipe waren wir dann den ganzen Abend.

UMWELT-BIBLIOTHEK, GRIEBENOWSTRASSE 16
21.00 Uhr: TIM EISENLOHR (14) telefoniert vom Büro des Pfarrers aus mit zu Hause.
Hallo Mutti! Hab' ich ganz vergessen: Ich hab' heute noch Ausleihdienst in der Bibliothek und da kann es ausnahmsweise etwas später werden ...

Weil Tim noch da war, verschoben wir den Druck des „Grenzfall". Wir druckten zuerst die „Umweltblätter."
TIM EISENLOHR
BERT SCHLEGEL
WOLFGANG RÜDDENKLAU
TSCHAK TSCHAK
BODO NIEBLICH
TILL BÖTTCHER

STASI-BERICHT:
23.13 Uhr:
Im Keller der Umwelt-Bibliothek
ist noch Licht festzustellen.

23.45 Uhr: Beginn der Aktion „Falle“.

*Song der West-Berliner Band „Ton Steine Scherben"

Gesicht zur Wand,
Maschine aus!
GREENPEACE KALENDER

Grenzfall

Die Druckerschwärzepumpe, ein Eigenbau Reiner Dietrichs, nahmen die Stasi-Leute nicht mit.

Wir verlangen, Pfarrer Simon zu sprechen!

0.10 UHR, DIENSTWOHNUNG PFARRER SIMON
BAMM
BAMM

Ja bitte?

Staats-sicherheit.
Kommen Sie mit in den Keller!

Einen Moment noch.

Wir ziehen uns erst noch an.

Die Tür bleibt auf!
PAFF

Lassen Sie das! Wir möchten uns anziehen! Aber nicht in Ihrer Gegenwart!

Pfarrer Simon ...

... hier ist der Durchsuchungsbefehl. Den können Sie sich hier durchlesen.

Es liegt eine Anzeige gegen unbekannt vor: Paragraf 218, Absatz 1: Zusammenschluss zur Verfolgung gesetzwidriger Ziele.

Wie kommen Sie dazu, in Kirchenräume einzudringen? Die Umwelt-Bibliothek gehört zu meinen Diensträumen!

Das spielt in diesem Fall keine Rolle.

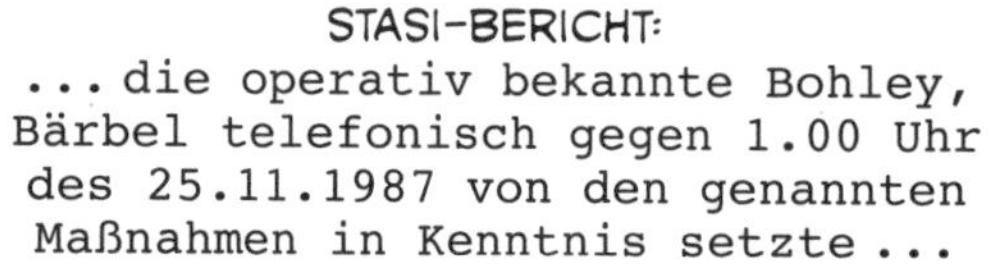

STASI-BERICHT:
... die operativ bekannte Bohley, Bärbel telefonisch gegen 1.00 Uhr des 25.11.1987 von den genannten Maßnahmen in Kenntnis setzte ...

... unternahm die Bohley gemeinsam mit Fischer, Werner kurze Zeit später den Versuch, in die „Umwelt-Bibliothek“ zu gelangen, und wurde von den Sicherungskräften abgewiesen.

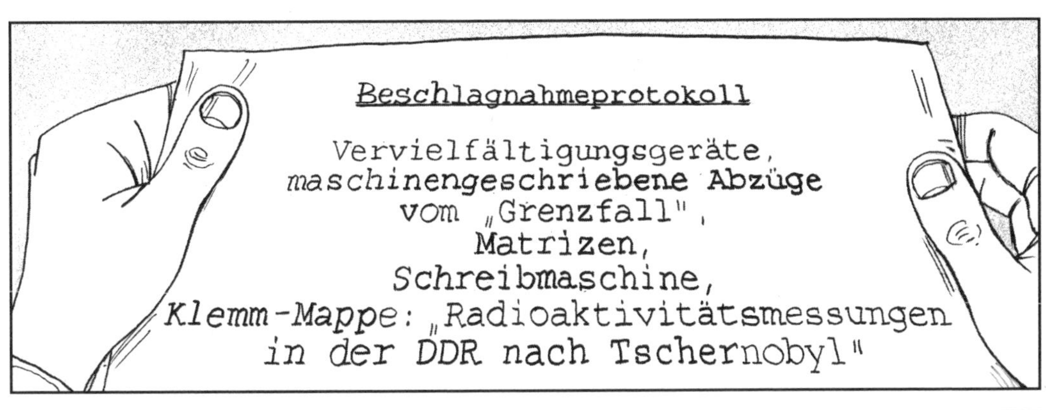
Beschlagnahmeprotokoll
Vervielfältigungsgeräte,
maschinengeschriebene Abzüge
vom „Grenzfall",
Matrizen,
Schreibmaschine,
Klemm-Mappe: „Radioaktivitätsmessungen
in der DDR nach Tschernobyl"

Herr Gläsner, das werden Sie bitter bereuen!

Oder Sie.

STASI-BERICHT:
Die durchgeführten Maßnahmen waren nicht öffentlichkeitswirksam.

*Deckname der Stasi für Ralf Hirsch bei Ermittlungen gegen seine Person

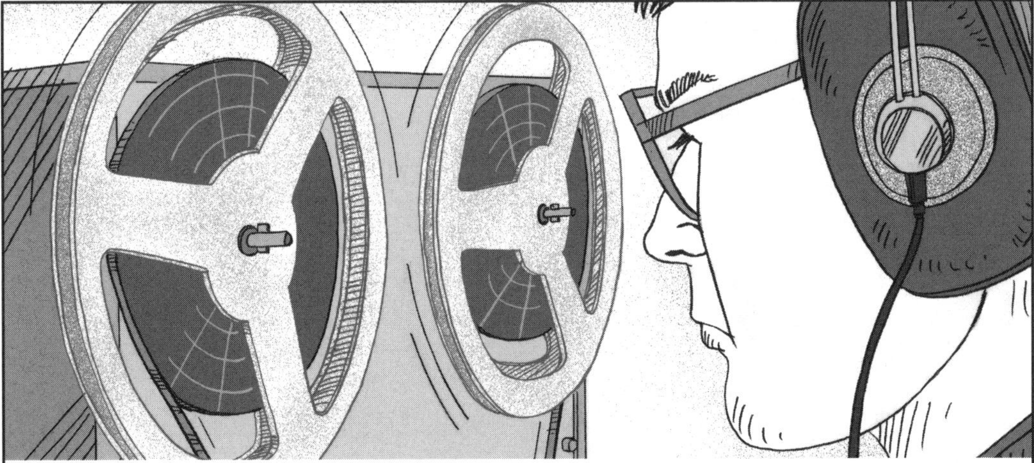

STASI-BERICHT:
Nach kurzer Beratung mit Hirsch, Ralf in dessen Wohnung, die die Bohley und Fischer gegen 1.45 Uhr erreichten, informierten diese drei Personen arbeitsteilig weitere maßgeblich operativ bekannte Inspiratoren/Organisatoren politischer Untergrundtätigkeit aus dem Raum Berlin (Bischof Forck und Generalsuperintendent Krusche, die operativ bekannte Feindperson Jahn, Roland/West-Berlin) mit dem Ziel, weitere Kräfte der politischen Untergrundtätigkeit zu verständigen, zu Gegenmaßnahmen zu mobilisieren sowie in umfangreichem Maß Vertreter westlicher Presseorgane zur Unterstützung einzuschalten.

STASI-BERICHT:

Bis in die frühen Morgenstunden des 25.11.1987 waren eine Reihe weiterer maßgeblicher Organisatoren politischer Untergrundtätigkeit informiert, so u.a. operativ bekannte Vertreter der „Initiative Frieden und Menschenrechte" als Herausgeber des „Grenzfall", des „Friedenskreises" Berlin-Friedrichsfelde, der Initiative „Kirche von unten", des „Friedenskreises" der Samaritergemeinde sowie weitere Personen aus Berliner „Friedens- und Ökologiegruppen" und kirchliche Amtsträger. Zur Vorbereitung und Durchführung einer öffentlichkeitswirksamen provokativen Aktion von Vertretern politischer Untergrundtätigkeit in der Hauptstadt der DDR, Berlin, auf dem Gelände und in den Räumlichkeiten der Zionskirchgemeinde am 25.11.1987 um 18.00 Uhr trafen sich extrem feindlich-negative Kräfte vereinbarungsgemäß um 12.00 Uhr im Atelier der Bohley.

Dass die Stasi in Kirchenräume eindringt, hat es seit den fünfziger Jahren nicht mehr gegeben!
Das ist wohl die Herbstoffensive des MfS!
Roland Jahn hat sofort Journalisten aus dem Westen informiert. Die haben heute Morgen schon über den Vorfall berichtet!

ZUR GLEICHEN ZEIT: KELLERRÄUME DER UMWELT-BIBLIOTHEK
Lasst uns die in Ost-Berlin akkreditierten Journalisten von Associated Press, BBC, EPD informieren!
Wir müssen Leute mobilisieren!
Die sehr unterschiedlichen Friedensgruppen einigte ihr gemeinsamer Protest gegen die Aktion der Staatssicherheit.

Der Protest muss öffentlich werden! Wie wäre es mit einer Mahnwache? Wenn wir schon nicht offen demonstrieren können, dann könnten wir uns aber mit brennenden Kerzen auf das Kirchengelände stellen und so die Leute aufmerksam machen!
Wir sollten heute Abend in der Zionskirche eine Erklärung verlesen und die Freilassung der Inhaftierten, die Offenlegung der Haftgründe und die Rückgabe der beschlagnahmten Geräte fordern!

* „Vpi": Volkspolizeiinspektion

*Guten Abend,
meine Damen und Herren.
In Ost-Berlin nahmen Beamte
des Staatssicherheitsdienstes
in der vergangenen Nacht und
heute Nachmittag Kirchen-
angestellte und mehrere Mitglieder
von Umwelt- und Friedensgruppen fest,
durchsuchten die Umwelt-Bibliothek bei
der evangelischen Zionsgemeinde
und beschlagnahmten
Informationsschriften.

Diese Informationsschriften
unter dem Titel „Grenzfall"
behandeln Themen wie Menschenrechte,
Friedensfragen und Umweltprobleme.
Heute Abend protestierten dann
rund 150 Menschen vor der
Zionskirche in Ost-Berlin,
darunter auch prominente Kirchenvertreter.

Von dort: Hans-Jürgen Börner.

Ost-Berlin
am späten Abend.
Um die Zionskirche ist
Polizei aufgefahren,
offen und versteckt.
In einer Stärke,
wie sie die Bewohner
noch nicht erlebt haben.

Auch Mitarbeiter der
Staatssicherheit sind in
Hausfluren und Türbögen
und auf Bürgersteigen postiert.
Verdächtige, d. h. alternativ
aussehende Menschen,
werden angehalten,
die Pässe kontrolliert.

*ARD-Tagesthemen vom 25.11.1987

Das war auch vor 18 Uhr so,
als sich Mitglieder von Friedensgruppen
zu einem Protestweg versammeln
wollten. Bekannte Bürgerrechtler wurden
hier erwartet und sind nicht
angekommen. Man weiß nicht, ob sie
zu Hause festgehalten oder
in Polizeigewahrsam sind.

Es fehlten heute Abend
Peter Grimm, Wolfgang Templin,
Gerd und Ulrike Poppe,
Ralf Hirsch, Rainer Dietrich,
Werner Fischer und Bärbel Bohley.

Der friedliche Protest
der Zionsgemeinde und
ihrer Freunde
richtete sich gegen
die Verhaftung von fünf
Menschen gegen Mitternacht.
Zwei – ein vierzehn-
und ein siebzehnjähriger Junge –
sind inzwischen wieder zu Hause.

Es fehlen
immer noch
Wolfgang Rüddenklau,
Bodo Nieblich
und Bert Schlegel.

26.11.1987, VP-INSPEKTION PRENZLAUER BERG/VERNEHMERBÜRO
Herr Grimm, wir wissen ja, dass Sie bei Vernehmungen nie etwas sagen ...

... aber ich muss Sie fragen, ob Sie an der Herstellung der Hetzschrift „Grenzfall" beteiligt sind.

Ich mache zu dieser Frage keine Angaben.

Sind Ihnen Personen bekannt, die an der Herstellung und Verbreitung dieser Hetzschrift mitwirkten?

Auch zu dieser Frage mache ich keine Angaben.

Ich weiß auch nicht, wie es weitergehen wird ...

... aber im Laufe des Abends wird sicher noch entschieden, ob Sie dem Haftrichter vorgeführt werden oder nicht.

Anscheinend hatten sie nichts Stichhaltiges gegen mich in der Hand, sonst hätte man mich schon längst ins Untersuchungsgefängnis Hohenschönhausen gebracht.
Der Vernehmer tauchte noch ein paar Mal auf, stellte einige Fragen und war dann wieder weg.

Die meiste Zeit war ich mit meinem Bewacher allein.

Stundenlang sagte keiner ein Wort.

Am Nachmittag teilte mir mein Vernehmer dann mit, dass ich gehen könne.

Was wohl draußen in der Zwischenzeit passiert war?

bei Kirchendurchsuchung

Verdacht auf staatsfeindliche Gruppenbildung

Berlin (dpa, ap, epd) – Staatsanwaltschaft und DDR-Si- | abhängigen Friedens-, Ökologie- und Menschenrechtsgruppen

Massiver Angriff der SED auf die evangelische Kirche

Zentrale der „Umweltblätter" durchsucht / Festnahmen

Hausdurchsuchung und Festnahmen in einer Ostberliner Einrichtung

Der »Stasi« kam erst in der Nacht

Die „Umwelt-Bibliothekare" im Pfarrhauskeller vertrauten zu sehr auf Glasnost

*BILD, Kölner Stadt-Anzeiger, DIE WELT, Nürnberger Nachrichten

*Sender Freies Berlin (West) **Rundfunk im amerikanischen Sektor ***Erläuterung im Glossar

8.05 Uhr:
Ein Feuerwehrmann riss das Transparent herunter.

Westliche Kamerateams berichteten vor Ort von den Ereignissen.
Unsere Mahnwache hielten wir mit brennenden Kerzen in den Händen dicht am Seiteneingang ab. Dort standen wir noch auf dem Kirchengelände und die Stasi hatte keinen Zugriff.
Ein großes Aufgebot an Stasi-Leuten beobachtete die Szenerie und kontrollierte die Personalausweise.

Was keiner erwartet hätte: Leute, die vorher nichts mit der Friedensbewegung zu tun hatten, solidarisierten sich auf einmal mit uns!
MAHN-WACHE

Ein Bäcker brachte morgens Brötchen.

Eine Oma bot uns Adventsgebäck an.

MAHN WACHE
Ein polnischer Arbeiter kam vorbei, spendete seinen halben Monatslohn und ging dann wieder.

Finden wa jut, wat ihr hier macht. Dit wollten wa nur ma sagen.

UMWELTBLÄTTER 1/88:

Innerkirchliche Information

umweltBlaetter

INFO-Blatt des Friedens- und Umweltkreises Zionskirchgemeinde

Umweltbibliothek Griebenowstraße 16 Berlin 1058

Leserbrief aus der Uckermark

Besonders hat uns der Neujahrsgruß von Andreas aus der Uckermark gefreut,der uns für das neue Jahr „Schaffenskraft bei der 'Herstellung staatsfeindlicher Schriften'" wünscht. Demgegenüber wollen wir noch einmal betonen,daß die Umwelt-Bibliothek keine „staatsfeindlichen Schriften" druckt und umgekehrt „staatsfeindliche Schriften" auf keinen Fall in der Umwelt-Bibliothek gedruckt worden sind.Wir sind vielmehr einmütig der Meinung, daß dieser Staat und diese Behörden einmalig und völlig unersetzlich sind. Besonders gern denken wir in diesem Zusammenhang an die großartige weltweite Gratis-Reklame für die Umwelt-Bibliothek und rufen der DDR-Regierung zum neuen Jahr zu: „Macht weiter so, Jungs!"

PETER GRIMM HEUTE:
Zwar wurden das „Grenzfall"-Material und die Druckmaschine in der UB gefunden ...
... bei der polizeilichen Untersuchung aber auch festgestellt, dass die Maschine ohne die vergessene Druckerschwärzepumpe gar nicht funktionsfähig war.
Die Anklage fiel dadurch wie ein Kartenhaus in sich zusammen.

Heute wissen wir, dass Reiner Dietrich, der unsere Druckmaschine repariert hatte, als IM „Cindy" heimlich für die Stasi spitzelte.
Die Strategie des MfS, die Redaktion des „Grenzfall" und Mitglieder der UB auf frischer Tat beim Druck von „staatsfeindlichem" Material in kirchlichen Räumen zu erwischen, ist nicht aufgegangen.

Dadurch gelang es nicht, einen Keil zwischen Kirche und Friedensgruppen zu treiben – im Gegenteil.
Durch die breite Solidarisierungswelle, die durch viele Bevölkerungsschichten ging, enstand ein erster Keim für die Revolution von 1989, die das SED-Regime hinwegfegen sollte.
Doch bis dahin war es noch ein weiter Weg.
BLICK VOM TURM DER ZIONSKIRCHE
ENDE

GLOSSAR

(Seite 49) **§ 218 Strafgesetzbuch (DDR):** Zusammenschluss zur Verfolgung gesetzwidriger Ziele.

(Seite 49) **§ 220 Strafgesetzbuch (DDR):** Öffentliche Herabwürdigung der staatlichen Ordnung.

(Seite 21) **Biermann-Ausbürgerung:** Das SED-Politbüro nutzte 1976 eine Konzertreise des kritischen DDR-Liedermachers Wolf Biermann nach Westdeutschland, um diesen loszuwerden: Noch während er sich in der Bundesrepublik befand, wurde er ausgebürgert. Biermann konnte nicht nach Hause in die DDR zurück. Viele, auch sehr berühmte Menschen protestierten dagegen in Ost und West, weitere Schikanen in der DDR waren die Folge. Zahlreiche Künstler verließen daraufhin die DDR und gingen ins bundesdeutsche Exil.

(Seite 54) **Charta 77:** Bezeichnet eine im Januar 1977 veröffentlichte Petition gegen die Menschenrechtsverletzungen in der kommunistischen Tschechoslowakei. In ihrer Folge bildete sich eine Bürgerrechtsbewegung, die in den 1970er und 1980er Jahren zum Zentrum der tschechoslowakischen Opposition wurde und ebenfalls „Charta 77" hieß.

(Seite 34) **Dekonspiration:** Enttarnung oder Öffentlichmachung einer Anwerbung oder eines Anwerbeversuches durch den von der Staatssicherheit Kontaktierten selbst.

(Seite 22) **Eingabe:** Ersuchen oder Beschwerde an eine zuständige Behörde. Da es in der DDR nicht möglich war, gegen Verwaltungsentscheidungen gerichtlich zu klagen, stellten Eingaben die einzige Möglichkeit für die Bevölkerung dar, sich gegen behördliche Willkür zu wehren. Es gab jedoch keinen Rechtsanspruch auf Erfüllung des Anliegens.

(Seite 70) **Führungsoffizier:** Mitarbeiter der Staatssicherheit, der für die Anwerbung, die Betreuung („Führung") und den Kontakt zu inoffiziellen Mitarbeitern verantwortlich war. Führungsoffiziere hatten dafür zu sorgen, dass es zu regelmäßigen Treffen mit den IMs kam. Sie überprüften die Zuverlässigkeit der Informationen, die „Ehrlichkeit" der berichtenden „Quelle" und garantierten die Wahrung der Konspiration bei den Treffen – zum Beispiel in eigens hierfür angemieteten Wohnungen.

(Seite 50) **HA XX:** Hauptabteilung XX des Ministeriums für Staatssicherheit, zuständig für die Überwachung des Staatsapparates, der Kultur und der Kirchen sowie für die Verfolgung des „politischen Untergrundes".

(Seite 69) **IMB:** Inoffizieller Mitarbeiter der Abwehr mit „Feindverbindung" zur unmittelbaren Bearbeitung verdächtiger „feindlicher" Personen.

(Seite 70) Ein **inoffizieller Mitarbeiter** (kurz **IM**; oft auch als geheimer Informant bezeichnet) war in der DDR eine Person, die verdeckt Informationen an das Ministerium für Staatssicherheit lieferte, ohne hauptamtlich für die Stasi zu arbeiten. Oftmals wurden Freundeskreise, oppositionelle Gruppen oder sogar die eigene Familie von IMs bespitzelt.

(Seite 67) **Konspirierung/Konspiration** (Adjektiv: konspirativ): Mit diesem Begriff bezeichnete die Stasi jene Handlungen von Oppositionellen, die bewusst darauf abzielten, sich einer möglichen Strafverfolgung zu entziehen. Mit „Konspiration" beschrieb die Staatssicherheit außerdem ihre eigene Geheimhaltung. Alle Aktivitäten sollten so ausgerichtet sein, dass weder die Öffentlichkeit von ihnen Kenntnis erhielt noch die an der betreffenden Sache unbeteiligten eigenen Mitarbeiter (sog. innere Konspiration).

(Seite 93) **KSZE:** Konferenz über Sicherheit und Zusammenarbeit in Europa. Die KSZE war eine Reihe von Konferenzen europäischer Staaten mit dem Ziel, Ost und West blockübergreifend zu einem geregelten Miteinander zu verhelfen. Die KSZE-Schlussakte von Helsinki wurde am 1. August 1975 unterzeichnet. In ihr wurden Vereinbarungen über die Zusammenarbeit in Wirtschaft, Wissenschaft, Technik und Umwelt getroffen, Sicherheits- und humanitäre Fragen geregelt und die Einhaltung der Menschenrechte festgeschrieben.

(Seite 49) **Operativer Vorgang (OV):** Im Anschluss an eine „Operative Personenkontrolle" (OPK), die erste Verdachtsmomente erbracht hatte oder aufgrund eines konkreten Vorfalls vorgenommen wurde (Auftauchen von Flugblättern, oppositionelle Gruppenbildungen o. Ä.), sammelte die Staatssicherheit im Operativen Vorgang Beweise, um missliebige Personen überführen, ggf. verhaften oder erpressen zu können. Ab Mitte der 1970er Jahre, zur Zeit der Entspannungspolitik, kam zunehmend ein weiteres Ziel hinzu: Die „Zersetzung" und/oder die Ausbürgerung in die Bundesrepublik Deutschland.

(Seite 65) **Quelle:** Informant, Denunziant bzw. jemand, der das Ministerium für Staatssicherheit mit Informationen versorgte.

(Seite 50) Mit **„Zersetzung"** bezeichnete die Staatssicherheit Versuche, als „feindlich" eingeschätzte Personen oder Gruppen zu desorganisieren, zu lähmen, gegeneinander aufzubringen oder von ihrer Umwelt zu isolieren, um sie dadurch von „feindlichen" Handlungen abzuhalten. Dies wurde beispielsweise durch die Verbreitung falscher Gerüchte oder die Behinderung beruflicher Karrieren erreicht. Auch schürte die Staatssicherheit Neid, Rivalitäten oder Misstrauen in Freundeskreisen, um das Selbstvertrauen missliebiger Personen zu zerstören. Für die Betroffenen war oft nicht zu erkennen, dass hinter beruflichen und persönlichen Krisen oder Misserfolgen ein Plan der Staatssicherheit steckte.

QUELLEN- UND LITERATURVERZEICHNIS

- Unterlagen des Ministeriums für Staatssicherheit im Archiv des Bundesbeauftragten für die Stasi-Unterlagen (BStU): MfS-HA XX/4 Nr. 3684; MfS-HA XX/4 Nr. 13; MfS-HA XX/4 Nr. 3747; MfS-BV Berlin XX 850/85 „Robert"; MfS BV Berlin VIII 625, Teil 3/4; MfS-HA XX Nr. 12105; MfS-HA XX/4 Nr. 3683; MfS-HA VIII Nr. 2900; MfS-BV Berlin, Abteilung VIII 625 Teil 4/4; MfS-BV Berlin, Abteilung VIII 625 Teil 3/4; MfS-HA XX/9 117
- Fotos im Archiv des BStU und im Archiv der DDR-Opposition der Robert-Havemann-Gesellschaft e. V.
- Fotos von Harald Hauswald, Siegbert Schefke (Quelle: Robert-Havemann-Gesellschaft e. V.) und Dirk Sarnoch zur Inspiration und Unterstützung der dokumentarischen Ästhetik
- Tagesthemen vom 25.11.1987 mit freundlicher Genehmigung durch ARD/NDR

- Dokumenta Zion. Selbstverlag, Berlin (Ost) 1987
- Rainer Eppelmann: Fremd im eigenen Haus. Mein Leben im anderen Deutschland. Verlag Kiepenheuer & Witsch, Köln 1993
- Jürgen Fuchs: Vernehmungsprotokolle. Jaron Verlag, Berlin 2009
- Katja Havemann/Joachim Widmann: Robert Havemann oder Wie die DDR sich erledigte. Ullstein Verlag, Berlin 2003
- Ralf Hirsch/Lew Kopelew (Hg.): Initiative Frieden & Menschenrechte. „Grenzfall". Selbstverlag, Berlin (West) 1989
- Ilko-Sascha Kowalczuk: Endspiel. Die Revolution von 1989 in der DDR. C. H. Beck Verlag, München 2009
- Ilko-Sascha Kowalczuk/Tom Sello (Hg.): Für ein freies Land mit freien Menschen. Robert-Havemann-Gesellschaft, Berlin 2006
- Lexikon Opposition und Widerstand in der SED-Diktatur. Hg. von Hans-Joachim Veen. Propyläen Verlag, Berlin/München 2000
- Hans-Joachim Maaz: Der Gefühlsstau. Ein Psychogramm der DDR. Argon-Verlag, Berlin 1992
- Das MfS-Lexikon. Begriffe, Personen und Strukturen der Staatssicherheit der DDR. Hg. von Roger Engelmann, Bernd Florath, Helge Heidemeyer u. a. Ch. Links Verlag, Berlin 2011
- Ehrhart Neubert: Geschichte der Opposition in der DDR 1949-1989. Ch. Links Verlag, Berlin 1997
- Wolfgang Rüddenklau: Störenfried. BasisDruck, Berlin 1992

- Jugendopposition in der DDR: www.jugendopposition.de
- Wer war wer in der DDR? Ein biographisches Lexikon: www.stiftung-aufarbeitung.de/service_wegweiser/werwarwer.php

DANKE!

Besonderer Dank an Peter Grimm für sein Vertrauen und
die Zeit, die er sich für unsere vielen Fragen genommen hat.
Er hat das Projekt überhaupt erst möglich gemacht.

Unseren Zeitzeugen und Interviewpartnern:
Katja Havemann
Ralf Hirsch
Wolfgang Rüddenklau
Tom Sello
Hans Simon

Der Bundesstiftung zur Aufarbeitung der SED-Dikatur
Dem Archiv der DDR-Opposition der Robert-Havemann-Gesellschaft e.V.
Frau Fleischer und Frau Heinrichs (BStU)

Unseren Beratern:
Dr. Christian Halbrock (historische Beratung)
Dr. René Mounajed (Geschichtscomic-Beratung)
Markus Pieper (redaktionelle Beratung)
Anne von Vaszary (dramaturgische Beratung)

Unseren Freunden und Unterstützern:
Shoko Asai
Willi Blöss
Susanne Bungter
Mathilde Godard
Peter Hofknecht
Eri Kawamura
Rick Minnich
Anna Schmelz
und unseren Familien

Thomas Henseler und **Susanne Buddenberg** studierten Design und Film an der Fachhochschule Aachen und an der Filmuniversität Babelsberg KONRAD WOLF.

Nach dem Studium gründeten sie die „Zoom und Tinte Buddenberg und Henseler GbR“ und spezialisierten sich auf Film und Illustration.

Gemeinsam arbeiten sie in den Bereichen Comic, Illustration und Storyboard. Parallel dazu unterrichten Thomas Henseler und Susanne Buddenberg in den Fachbereichen Design, Film und Game.

Grenzfall (2011) ist ihre erste Graphic-Novel zum Schwerpunkt DDR-Geschichte. Mit *BERLIN – Geteilte Stadt* (avant-verlag, 2012), *Tunnel 57: Eine Fluchtgeschichte als Comic* (2013) und *DDR-Geschichte zum Einkleben* (2015) haben sie inzwischen drei weitere Geschichtscomics veröffentlicht.